Mae'r llyfr Topsi a Tim

hwn yn eiddo i

____

Topsi a Tim
Parti Pen-blwydd

Gan Jean a Gareth Adamson
Addasiad Sioned Lleinau

Gomer

Lluniau gan Belinda Worsley

Cyhoeddwyd gyntaf ym Mhrydain gan Ladybird Books Ltd., rhan o Penguin Books Ltd.,
80 Strand, Llundain, WC2R 0RL, UK

Cyhoeddwyd gyntaf yng Nghymru yn 2014 gan Wasg Gomer, Llandysul, Ceredigion, SA44 4JL
www.gomer.co.uk

ISBN 978 1 84851 779 0

Argraffwyd yn China

Mae'n ddiwrnod pen-blwydd Topsi a Tim. Roedd pentwr o anrhegion yn barod iddyn nhw eu hagor ben bore.

Daeth y postmon â chardiau pen-blwydd iddyn nhw ac anrheg gan Mam-gu.

'Pen-blwydd hapus, efeilliaid,' meddai.

'Sut oeddech chi'n gwybod bod ein pen-blwydd ni heddiw?' holodd Topsi.

'Dyfalu!' gwenodd y postmon.

Ar ôl brecwast, aeth Topsi a Tim i'r ardd i drio'u hesgidiau sglefrholio newydd.

'Pen-blwydd hapus, Topsi a Tim,' gwaeddodd eu ffrindiau dros y ffens.

'Sut oeddech chi'n gwybod bod ein pen-blwydd ni heddiw?' holodd Tim.

'Am eich bod chi wedi ein gwahodd ni i'r parti y prynhawn 'ma, wrth gwrs,' meddai Ceri.

Wedyn, aeth y ddau gyda
Dad i'r siop i brynu balŵns,
a chanhwyllau i'w rhoi ar
y gacen.

‘Pen-blwydd hapus, Topsi a Tim,’ meddai Mrs Patel.

‘Sut oeddech chi’n gwybod bod ein pen-blwydd ni heddiw?’ holodd Topsi a Tim.

‘Aderyn bach ddywedodd wrtha i,’ meddai Mrs Patel.

Ar ôl cyrraedd adre, helpodd Topsi a Tim i baratoi ar gyfer eu parti pen-blwydd. Dangosodd Dad iddyn nhw sut oedd chwythu'r balŵns. Wedyn, dyma nhw'n addurno'r ystafell â'r balŵns lliwgar.

Yna aeth Topsi a Tim a Dad i'r gegin i helpu i baratoi'r bwyd ar gyfer y parti. Dangosodd Mam i Topsi sut oedd rhoi eisin ar y cacennau bach. Rhoddodd Tim felysion ar ben bob un.

Rhoddodd Dad ffyn bach pren yn y selsig. Dyma fe'n bwyta un a rhoi un yr un i Topsi a Tim.

'Peidiwch,' meddai Mam, 'neu fydd 'na ddim digon ar ôl i'r parti.'

'Alla i a Tim roi canhwyllau ar ein cacen ben-blwydd?' holodd Topsi.

'Na,' meddai Mam. 'Cacen syrpréis yw hi, felly fi fydd yn rhoi'r canhwyllau arni. Beth am helpu Dad i roi'r bwyd ar y bwrdd?'

Cafodd Topsi a Tim hwyl
yn cario'r jeli wibl-wobl.

Roedd popeth yn barod ar gyfer y parti. Dechreuodd eu ffrindiau gyrraedd. Finda oedd y cyntaf, yna Tomi Glyn. Daeth Siôn Dafydd ac Arwyn Alun gyda'i gilydd.

'Dyma fi,' meddai Ceri. Roedd Rana'n dynn wrth ei sodlau.

Roedd gan bawb anrhegion i Topsi a Tim.

'Ydy pawb yma?' holodd Mam.

'Pawb heblaw Alys,' meddai Topsi.

'Allwn ni ddim dechrau heb Alys,' meddai Tim.

'Ond allwn ni ddim aros,' meddai Mam.

Dyma nhw'n dechrau chwarae gêm. Pan fyddai'r gerddoriaeth yn stopio, byddai'n rhaid i bawb eistedd ar sedd.

'Does gen i ddim sedd,' cwynodd Topsi.

'Rwyt ti allan o'r gêm 'te,' meddai Dad. Siôn Dafydd enillodd. Rhoddodd Mam wobr iddo.

Rhoi Cynffon ar yr Asyn oedd y gêm nesaf. Dyma hoff gêm Topsi. Rhoddodd Tim y gynffon ar drwyn yr asyn a dechreuodd pawb chwerthin. Roedd Tim yn chwerthin hefyd ar ôl gweld y llun.

‘Un gêm arall cyn amser te,’ meddai Mam. ‘Beth am chwarae Pasio’r Parsel?’

Yn sydyn, canodd cloch y drws. Alys oedd yno.

‘Hwrê,’ meddai Topsi a Tim.

Eisteddodd Alys rhwng Topsi a Tim a dechreuodd y gerddoriaeth. Bob tro roedd y gerddoriaeth yn stopio, roedd yn rhaid i'r plentyn oedd yn dal y parsel dynnu haen o bapur.

'Mae pawb wedi ennill rhywbeth heblaw amdana i,' cwynodd Alys.

Ond hi enillodd Pasio'r Parsel. 'Am barti da,' meddai Alys.

'Amser te parti!' gwaeddodd Dad. Roedd digon o fwyd i bawb a digon o sudd oren i'w yfed.

'Mae syched arna i,' meddai Arwyn Alun.

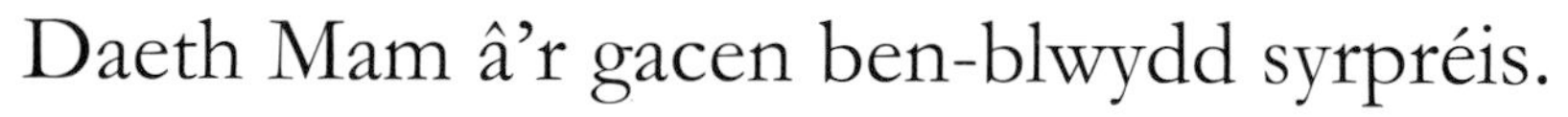

Daeth Mam â'r gacen ben-blwydd syrpréis.
'O! Deinosor!' meddai'r plant.
Roedd gan y deinosor
ganhwyllau ar hyd ei gefn.

Canodd bawb 'Pen-blwydd Hapus'
a chwythodd Topsi a Tim y canhwyllau
a'u diffodd gydag un pwff mawr o wynt.

Tro'r dudalen er mwyn helpu
Topsi a Tim i ddatrys y pos.

Edrych ar y ddau lun.
Mae wyth peth yn wahanol.
Fedri di eu gweld?

Map o'r pentref

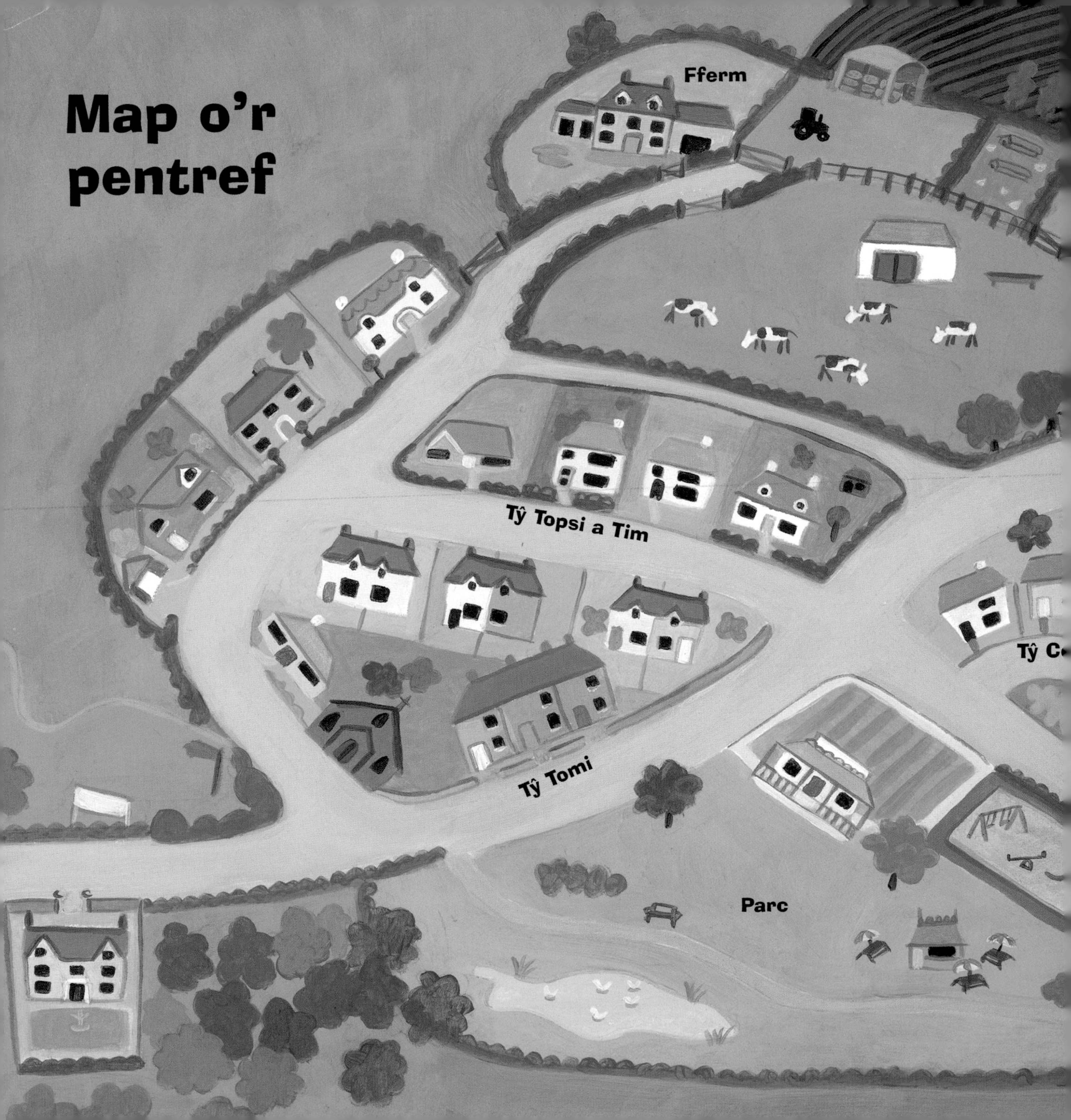

Garej
Meddygfa
Swyddfa'r
Post
Egiwys
Ysgol Gynradd
Ysgol Feithrin
Swyddfa'r Heddlu

Hefyd yn y gyfres:

Topsi a Tim:
Ar y Fferm